2/17

NAVIDAD DE PAPEL

Søren Thaae

La Brújula

Søren Thaae, diseñador gráfico, nació en
Dinamarca en 1946. Ha realizado ilustraciones
con la técnica de escultura de papel para libros,
portadas de revistas, folletos, carteles y anuncios,
entre otras publicaciones. Ha participado en
diversas exposiciones de escultura de papel
en Nueva York y Londres. Es autor del libro
México, Arte en papel, publicado en esta
misma colección.

Índice

D.R. © 2008, CIDCLI, S. C.
Av. México 145–601, Col. del Carmen
Coyoacán, C.P. 04100, México, D.F.
www.cidcli.com.mx

Modelos: Søren Thaae
Fotografía: Charly Nielsen
Traducción de instrucciones al español: Paola Beatriz Macías Solórzano
Diseño gráfico: Rogelio Rangel
Coordinación editorial: Rocío Miranda
Cuidado de la edición: Elisa Castellanos

Primera edición, octubre 2008

ISBN: 978-607-95011-1-2

Impreso en México / Printed in Mexico

Para decorar el árbol navideño

Adornos para la casa

Para la posada

Para las felicitaciones

Para la pastorela

Adornos para la mesa

Presentación

La Navidad es sin duda la celebración más importante del mundo cristiano; más allá del sentido religioso original o de las prácticas devotas, el hecho es que la festejan alrededor de dos mil millones de personas, casi una tercera parte de la población mundial. A eso se debe, quizá, que uno de los temas sobre el que más libros se hayan publicado sea precisamente el navideño. • Pues éste es un libro navideño, pero también es un libro especial; no sólo porque ayuda a desarrollar habilidades manuales y estimular la creatividad de los lectores sino, sobre todo, porque está pensado para que se disfrute en familia, como un motivo para propiciar la convivencia. La Navidad es una festividad impregnada de rasgos culturales que la matizan y le dan un carácter particular en cada país, en cada región y hasta en cada familia; pero la búsqueda de la unión y de la armonía es una característica compartida por todos los seguidores de la tradición. • La Navidad en México, como sucede con muchas otras celebraciones religiosas en el país, tiene características propias en las que se han sumado tradiciones y creencias prehispánicas con ritos cristianos y precristianos europeos. Es una mezcla de culturas que se manifiesta en casi todos los aspectos de la vida cotidiana del país y, por supuesto, en las fiestas decembrinas. En *Navidad de papel* se observan los rasgos de una celebración al estilo mexicano; pero como el autor es danés, se trata de una mirada que tiene una cierta distancia, aunque impregnada por el afecto y la admiración que el artista expresa hacia la cultura mexicana. • Los modelos que diseñó el autor para este libro, así como el uso que propone para ellos y las sugerencias de los materiales, pueden ser modificados de acuerdo con el gusto, los recursos disponibles y, sobre todo, con la imaginación, capacidad creativa y el espíritu navideño de los lectores.

Qué necesitas

Con los instrumentos y materiales adecuados los resultados serán mejores.

Instrumentos

Lápiz: es mejor usar puntas suaves porque las líneas son más fáciles de borrar si se cometen errores.

Regla: para medir y cortar papel. Las esquinas de la regla sirven para marcar líneas de doblez en el papel.

Tijeras: de preferencia pequeñas y bien afiladas, para obtener buenos resultados.

Cúter: se usa para hacer los cortes o saques dentro de las figuras; en algunos casos es más fácil de usar que las tijeras pero se debe tener precaución porque es muy filoso. También sirve para marcar líneas de doblez, pero con cuidado para no cortar el cartón.

Perforadora: para hacer agujeros, confeti y ojos de los personajes (de plástico adhesivo son más fáciles de pegar).

Aguja e hilo: para hacer pequeños orificios y unir algunas piezas.

Plumones: para dibujar ojos, boca, cejas, etc.

Engrapadora: puede sustituir al pegamento; las grapas se ponen en lugares donde no sean visibles.

Pinzas de punta delgada: son muy útiles para asir y maniobrar figuras muy pequeñas.

Base de apoyo: indispensable para cortar, puede ser de cartón grueso, linóleo, plástico o madera.

Pistola de pegamento: se seca rápidamente. Hay que tener mucha precaución porque el pegamento sale muy caliente.

Papeles, cartones y cartulinas

Papeles translúcidos: albanene, mantequilla, de China o pergamino. Se necesitan para calcar los moldes del libro (también se pueden fotocopiar).

Papel carbón: indispensable para transferir los moldes calcados en el papel translúcido al papel o cartón en el que se hará la figura.

Papeles de colores (bond, lustre, América, crepé, metalizado, etc.): para hacer las figuras en mate como las muestras, o brillantes, según el gusto.

Papeles y servilletas decorados: se usan para la ropa de los personajes, o para cualquier aplicación que se desee.

Cartulinas y cartones: para las figuras de este libro se usaron cartones de diferentes calidades. También puede usarse cartulina gruesa.

Cartón corrugado: además de las piezas que se sugieren, se puede emplear para otras, pues el resultado es muy decorativo. También es útil para hacer diferentes niveles y separar piezas.

Otros materiales

Pegamento: cualquiera de los recomendados para papel.

Lápiz adhesivo: para los niños es más fácil trabajar con este tipo de pegamento; también simplifica el pegado de piezas muy pequeñas.

Cinta adhesiva: puede sustituir al pegamento en lugares no visibles.

Pinzas de madera para ropa: sirven para sostener las figuras en pie; pueden pintarse.

Clips y pinzas de papel: ayudan a mantener unidas las piezas mientras seca el pegamento.

Plastilina o barro: sirve para que las figuras se sostengan paradas.

Popotes, hule espuma, palitos de madera, alfileres con cabecillas de colores, pedazos de tela, vidrios de colores, diamantina, lentejuelas y cualquier material con el que quieras decorar las figuras.

Instrucciones generales

Observa los modelos: con los ejemplos de las fotografías podrás seleccionar los papeles que desees usar y será más fácil armar las figuras.

Copia los moldes: este libro no es para recortar. Los moldes se deben copiar en el papel en el que se harán las figuras, de la siguiente manera:

- Coloca un pedazo de papel translúcido sobre el molde y traza el contorno respetando el tipo de línea: continua o punteada.

- Calca esa copia del molde, con papel carbón, sobre el papel en que harás la figura. Generalmente se usarán varios papeles. Observa los modelos de las fotografías para seleccionar los que usarás.

Recorta las piezas: el tipo de línea te indicará cómo hacerlo:

- Las líneas continuas indican corte; inclusive si se trata de líneas en el interior de las piezas.

- Las líneas punteadas indican doblez, así que los moldes con líneas punteadas en la orilla se hacen sobre papeles doblados (para que salgan piezas dobles). La línea punteada interior significa que ahí se doblará la pieza.

- Si usas fotocopia puedes engraparla al papel de color y cortar los dos al mismo tiempo.

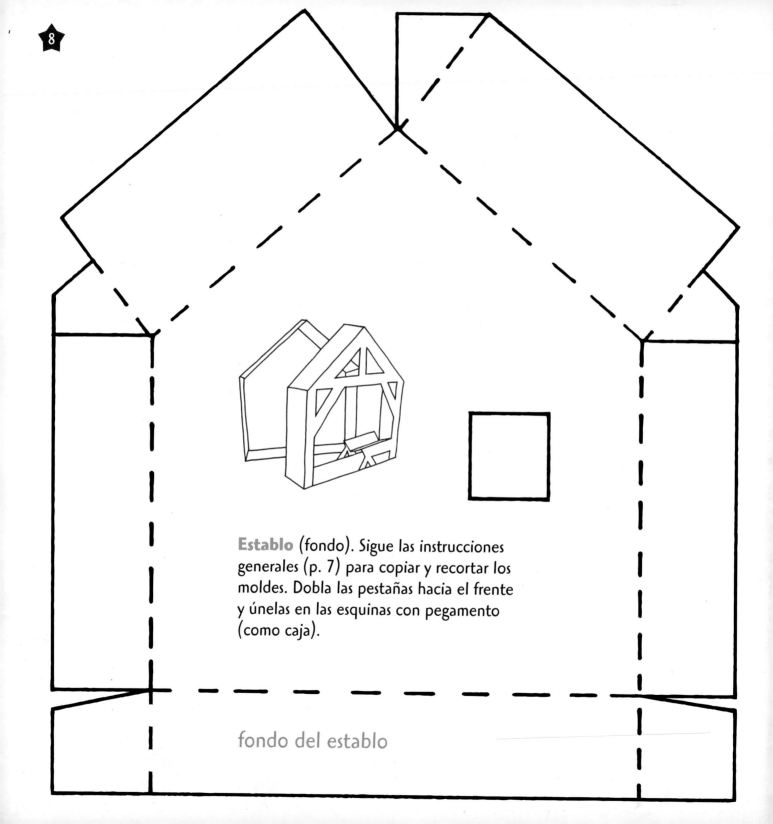

Establo (fondo). Sigue las instrucciones generales (p. 7) para copiar y recortar los moldes. Dobla las pestañas hacia el frente y únelas en las esquinas con pegamento (como caja).

fondo del establo

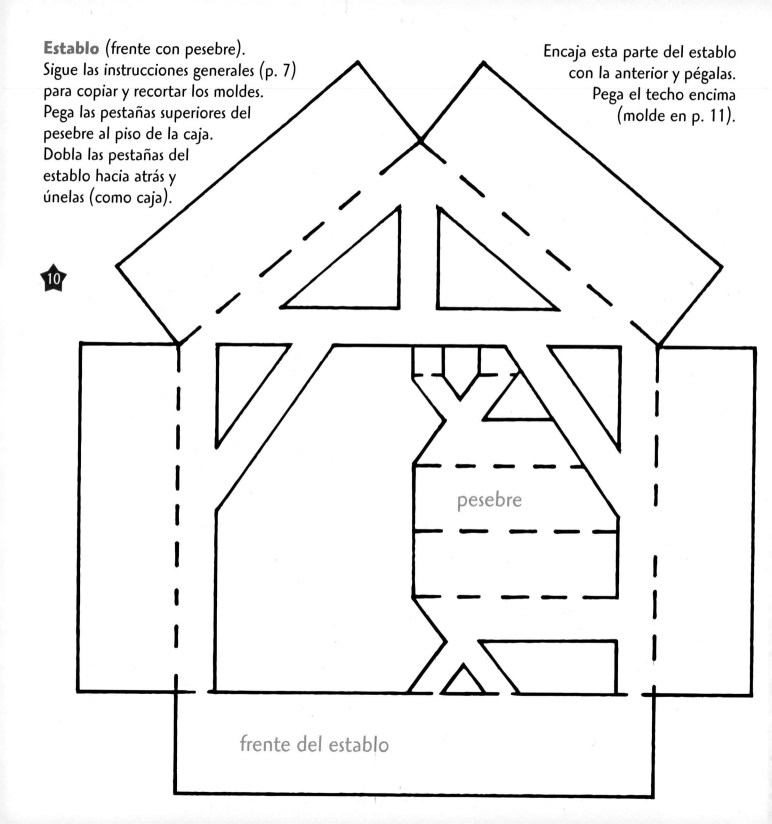

Establo (frente con pesebre).
Sigue las instrucciones generales (p. 7)
para copiar y recortar los moldes.
Pega las pestañas superiores del
pesebre al piso de la caja.
Dobla las pestañas del
establo hacia atrás y
únelas (como caja).

Encaja esta parte del establo
con la anterior y pégalas.
Pega el techo encima
(molde en p. 11).

10

pesebre

frente del establo

Niño Jesús y manta. La manta se pega sobre el pesebre y encima el niño Jesús. Dobla la pestaña de la cabeza y pégala al cuerpo del niño para que la puedas flexionar. Pon la aureola detrás de la cabeza.

Techo del establo. Si no tienes cartón corrugado de color, píntalo.

Estrella. Usa cartón metalizado o decóralo con diamantina.

manta

techo
del establo
pieza doble

niño
Jesús

aureola
niño

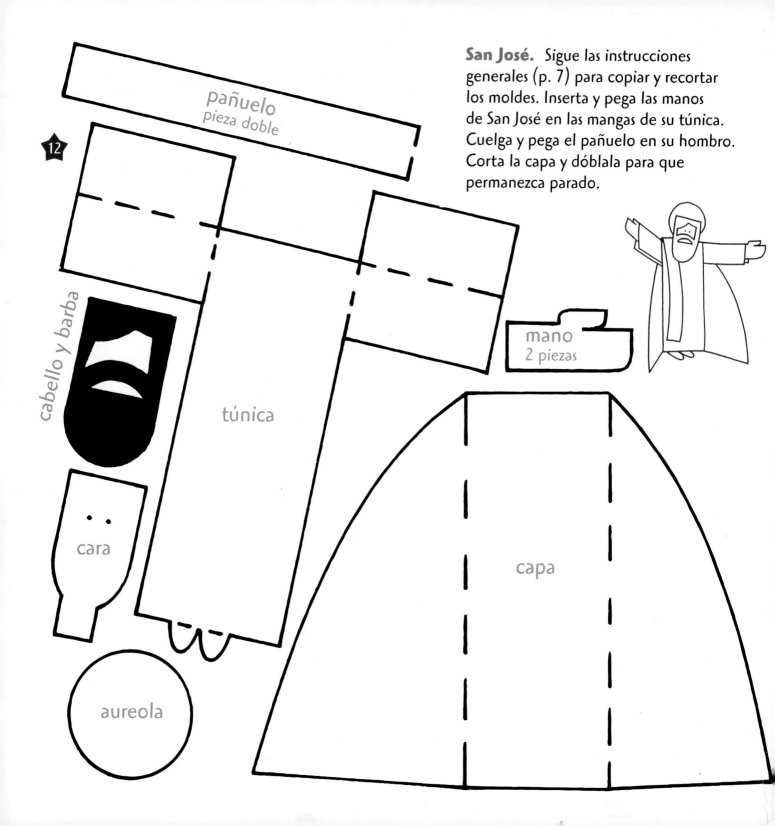

pañuelo
pieza doble

12

San José. Sigue las instrucciones generales (p. 7) para copiar y recortar los moldes. Inserta y pega las manos de San José en las mangas de su túnica. Cuelga y pega el pañuelo en su hombro. Corta la capa y dóblala para que permanezca parado.

cabello y barba

mano
2 piezas

túnica

cara

capa

aureola

Virgen María. Haz los cortes en la túnica e inserta ahí las manos. Pega la túnica en el manto. Haz los dobleces del manto hacia adelante y el de la parte inferior de la túnica hacia atrás para sostenerla hincada. Usa papel decorado para el rebozo. Pon un pedazo de cartón corrugado entre la cabeza y la aureola para que se vean separadas.

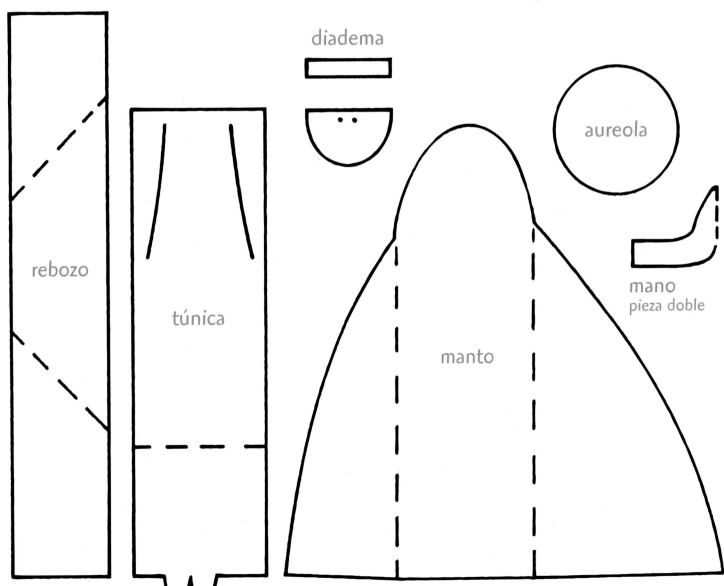

rebozo

túnica

diadema

manto

aureola

mano
pieza doble

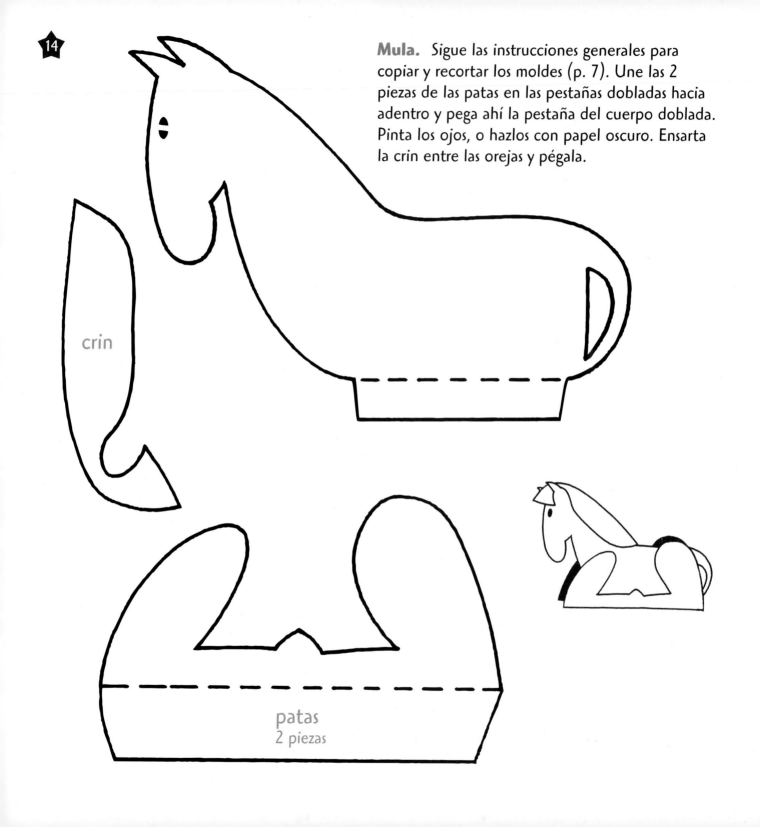

Mula. Sigue las instrucciones generales para copiar y recortar los moldes (p. 7). Une las 2 piezas de las patas en las pestañas dobladas hacia adentro y pega ahí la pestaña del cuerpo doblada. Pinta los ojos, o hazlos con papel oscuro. Ensarta la crin entre las orejas y pégala.

crin

patas
2 piezas

Buey. Se arma de la misma manera que la mula. Coloca un trozo de cartón corrugado entre la cabeza y el cuerpo para que queden separados. Píntale los cuernos de otro color.

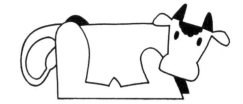

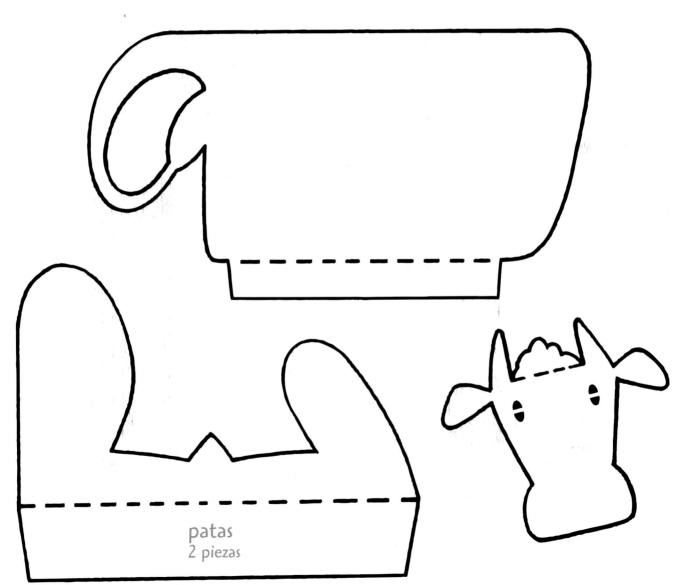

patas
2 piezas

Gallo, gallina, guajolote y perro.
Sigue las instrucciones generales para copiar
y recortar los moldes (p. 7). Haz tantas
figuras como desees poner en el Nacimiento

guajolote
pieza doble

patas
pieza doble

gallo

patas
pieza doble

gallina
pieza doble

recipiente
para alimento

perro

pata

Gallina. Se corta doble para que se sostenga. Las alas pueden insertarse o colocarse encima del cuerpo.

Guajolote. Une las 2 piezas de patas en la pestaña doblada hacia adentro. Pégalas en medio del cuerpo. Inserta la cola en la ranura del cuerpo.

Gallo. Haz las patas como las del guajolote. Pon un trocito de hule espuma para separar la cabeza de las plumas del cuello.

Recipiente para el alimento. Se dobla en zigzag. Puedes colocar un poco de avena para simular alimento.

Perro. La oreja se dobla hacia abajo y se monta la pata trasera. Pinta su nariz y ojo con plumón.

17

Regalos de los Reyes Magos. Sigue las instrucciones generales (p. 7) para copiar y recortar los moldes. Es mejor hacerlos con cartoncillo metalizado para que sean firmes.

Cofre con oro (de Melchor). Ármalo como cualquier figura geométrica, pero déjala abierta. Se pega a las dos manos con cinta adhesiva doblada.

Vasija con incienso (de Gaspar).

Vasija con mirra (de Baltasar).

Coronas. Pega los alfileres con cabecilla de color entre las dos piezas de cada corona.

incienso   mirra

coronas
2 piezas de cada una

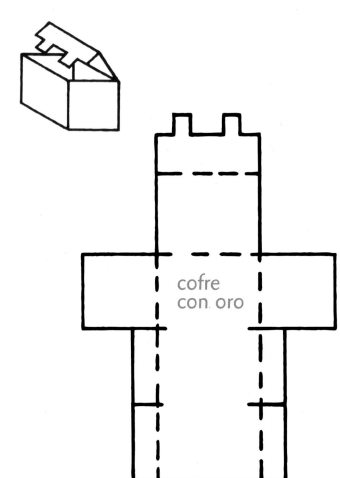

cofre
con oro

Rey Mago Melchor. Sigue las instrucciones generales (p. 7) para copiar y recortar los moldes. La túnica se pega en el doblez de la capa. La cabeza con la barba se pega entre la capa y la túnica. Al final se ponen la corona y el cofre (moldes p. 21).

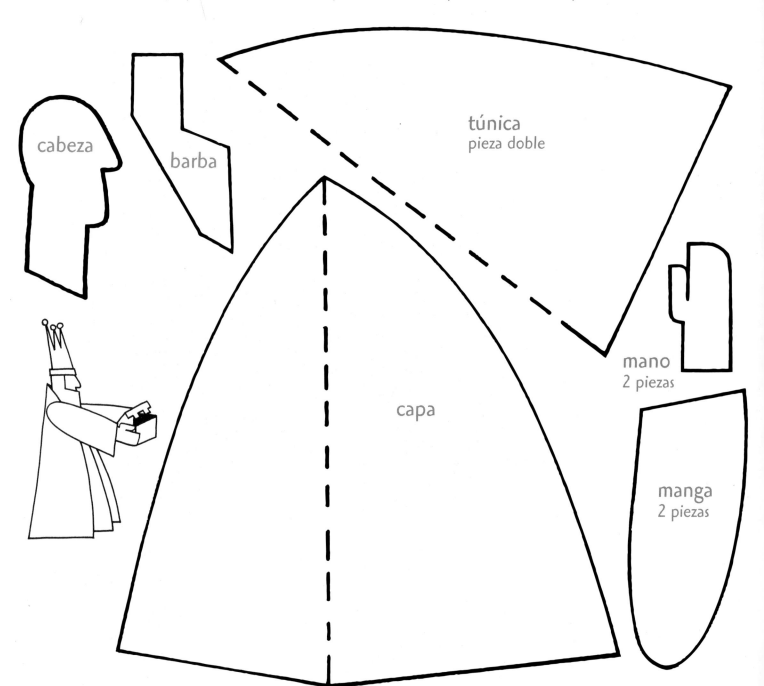

cabeza

barba

túnica
pieza doble

capa

mano
2 piezas

manga
2 piezas

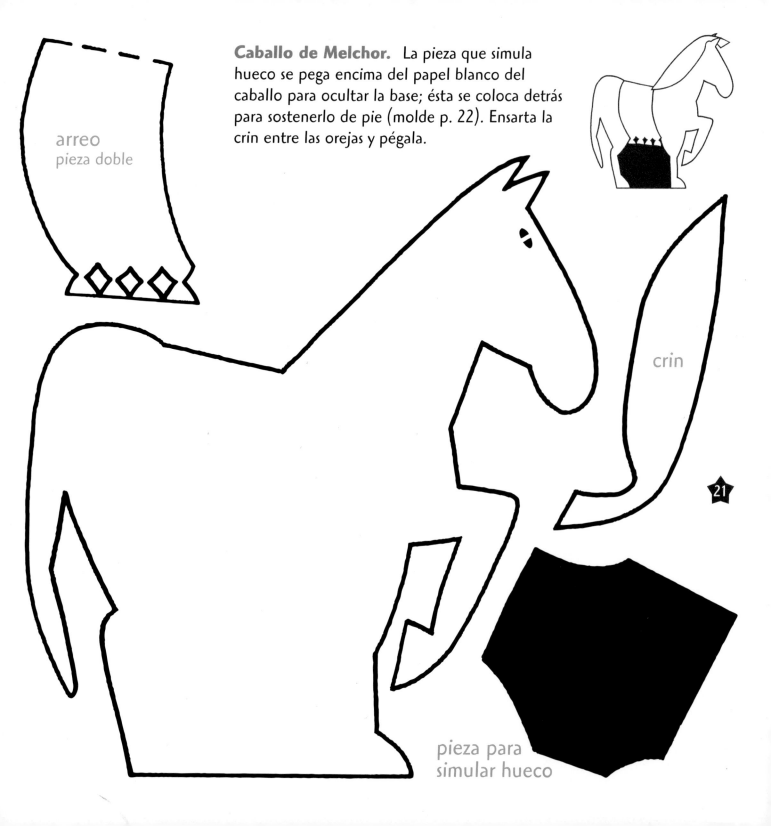

Caballo de Melchor. La pieza que simula hueco se pega encima del papel blanco del caballo para ocultar la base; ésta se coloca detrás para sostenerlo de pie (molde p. 22). Ensarta la crin entre las orejas y pégala.

arreo
pieza doble

crin

21

pieza para
simular hueco

Base para el camello de Gaspar. Sigue las instrucciones generales (p. 7) para copiar y recortar los moldes. Haz 2 piezas, dobla las pestañas y pégalas de forma encontrada. Pega la pieza en la espalda del camello para que se sostenga parado.

base del camello
2 piezas

Base para el caballo de Melchor. Se arma como un cubo sin dos caras. Pégala detrás del caballo para sostenerlo de pie.

base del caballo

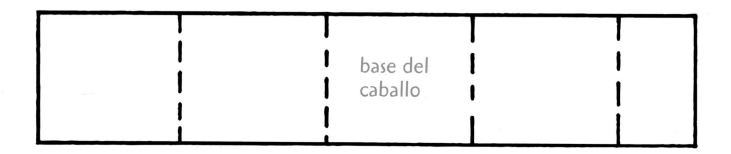

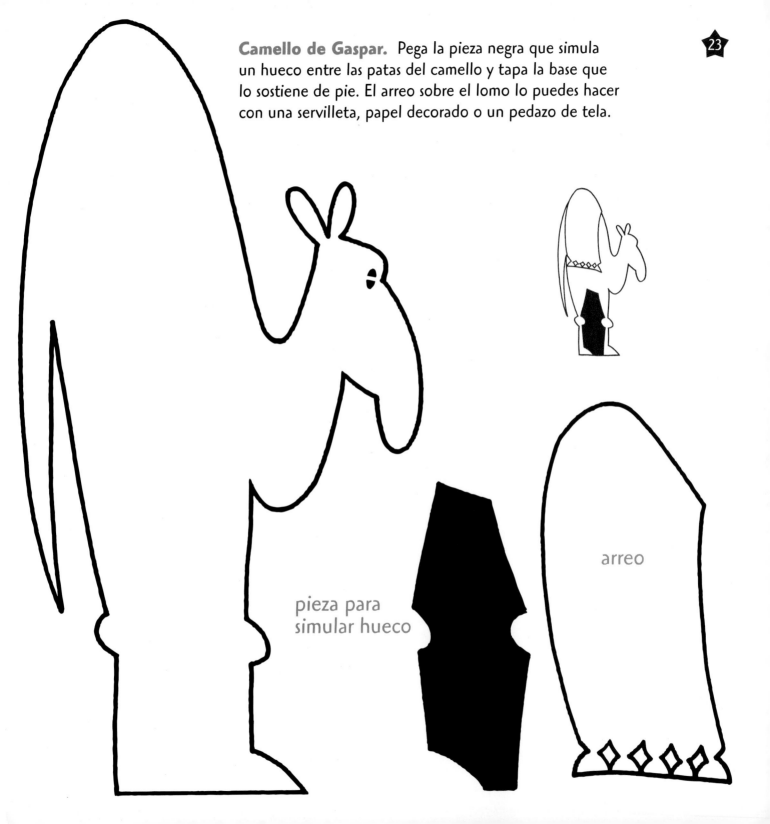

Camello de Gaspar. Pega la pieza negra que simula un hueco entre las patas del camello y tapa la base que lo sostiene de pie. El arreo sobre el lomo lo puedes hacer con una servilleta, papel decorado o un pedazo de tela.

pieza para
simular hueco

arreo

Rey Mago Gaspar. Sigue las instrucciones generales (p. 7) para copiar y recortar los moldes. Gaspar se arma igual que Melchor, pero lleva de regalo una vasija con incienso (p. 21).

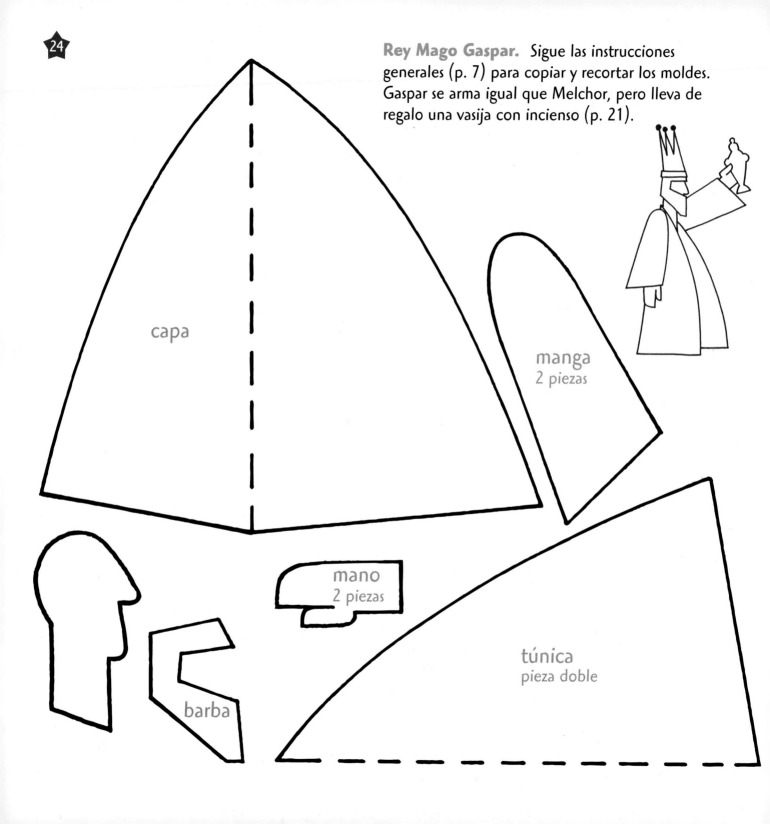

capa

manga
2 piezas

mano
2 piezas

barba

túnica
pieza doble

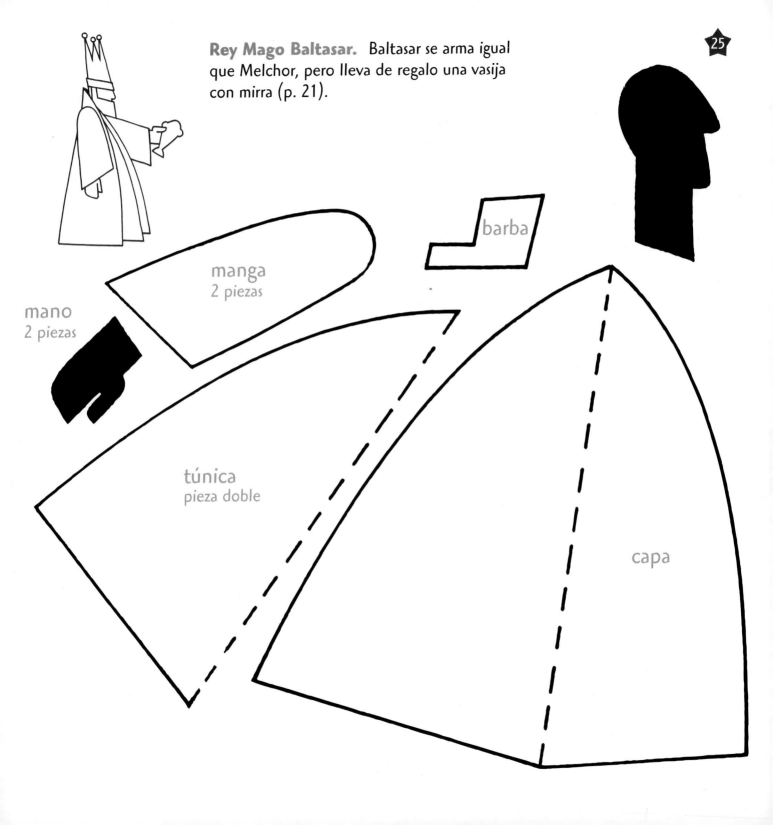

Rey Mago Baltasar. Baltasar se arma igual que Melchor, pero lleva de regalo una vasija con mirra (p. 21).

barba

manga
2 piezas

mano
2 piezas

túnica
pieza doble

capa

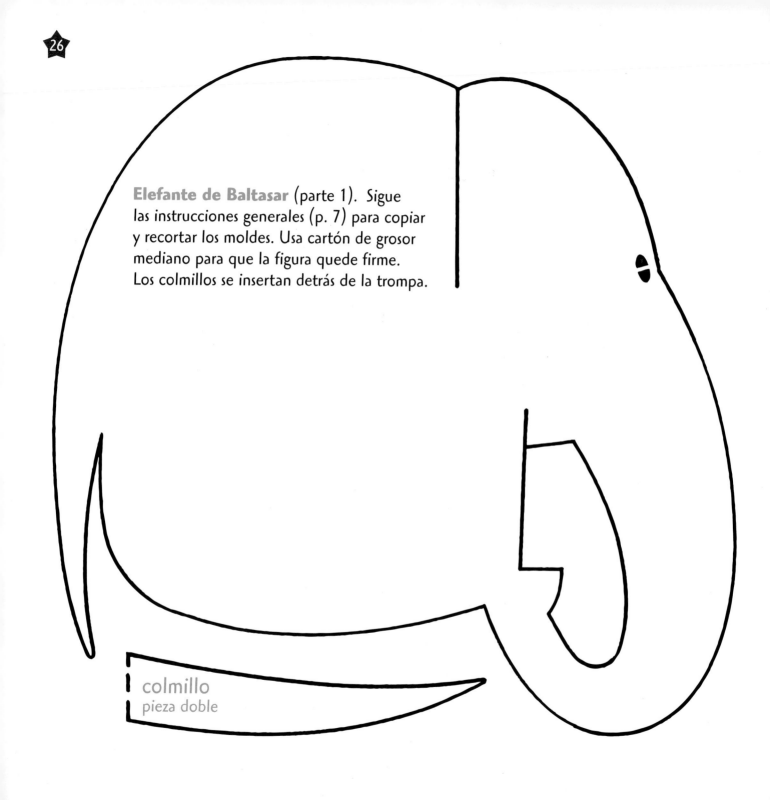

Elefante de Baltasar (parte 1). Sigue
las instrucciones generales (p. 7) para copiar
y recortar los moldes. Usa cartón de grosor
mediano para que la figura quede firme.
Los colmillos se insertan detrás de la trompa.

colmillo
pieza doble

Elefante de Baltasar (parte 2). Los dos pares de patas
se doblan hacia arriba y se pegan a los lados del cuerpo.
Las orejas van en una cartulina más delgada que el resto
del cuerpo y se insertan en las aperturas de la cabeza.
Al final se pega el gorro.

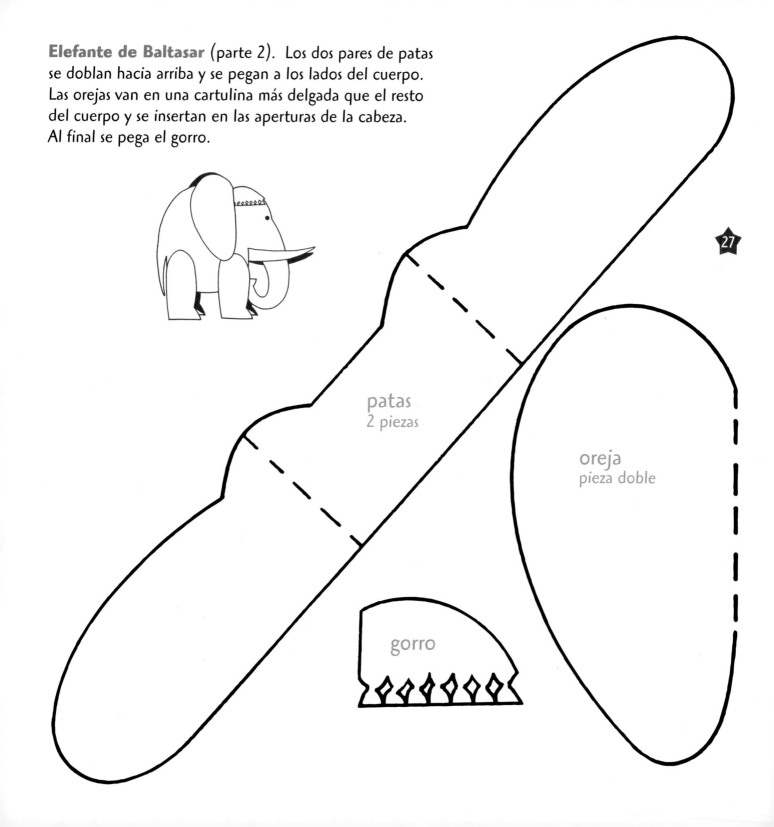

patas
2 piezas

oreja
pieza doble

gorro

Pastores. Sigue las instrucciones generales (p. 7) para copiar y recortar los moldes. El cuerpo y el soporte son iguales para la mujer y el hombre. Haz los dobleces del soporte hacia atrás, para después pegar encima los cuerpos vestidos. Para la manta del pastor corta un rectángulo irregular de papel o tela.

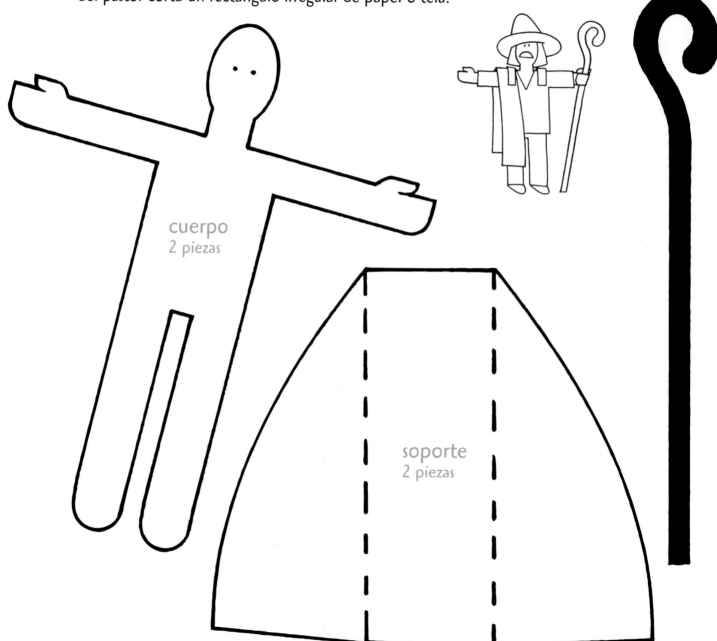

cuerpo
2 piezas

soporte
2 piezas

Ropa y accesorios de los pastores.
Sigue las instrucciones generales (p. 7)
para copiar y recortar los moldes. Viste a
los pastores con la ropa, pelo y accesorios;
pega cada uno en su soporte (p.28)

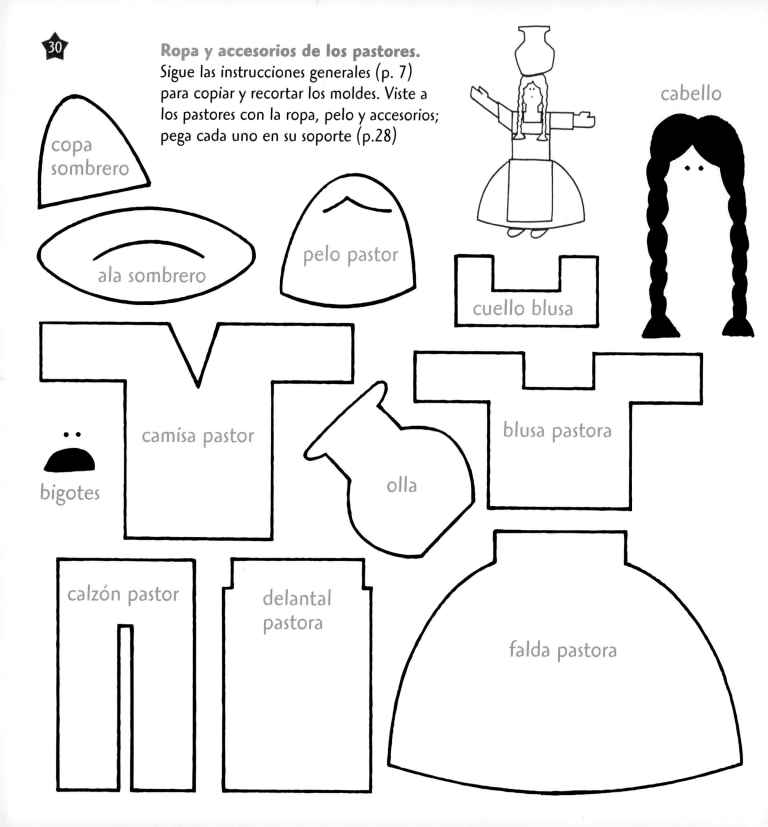

copa
sombrero

cabello

ala sombrero

pelo pastor

cuello blusa

camisa pastor

blusa pastora

bigotes

olla

calzón pastor

delantal
pastora

falda pastora

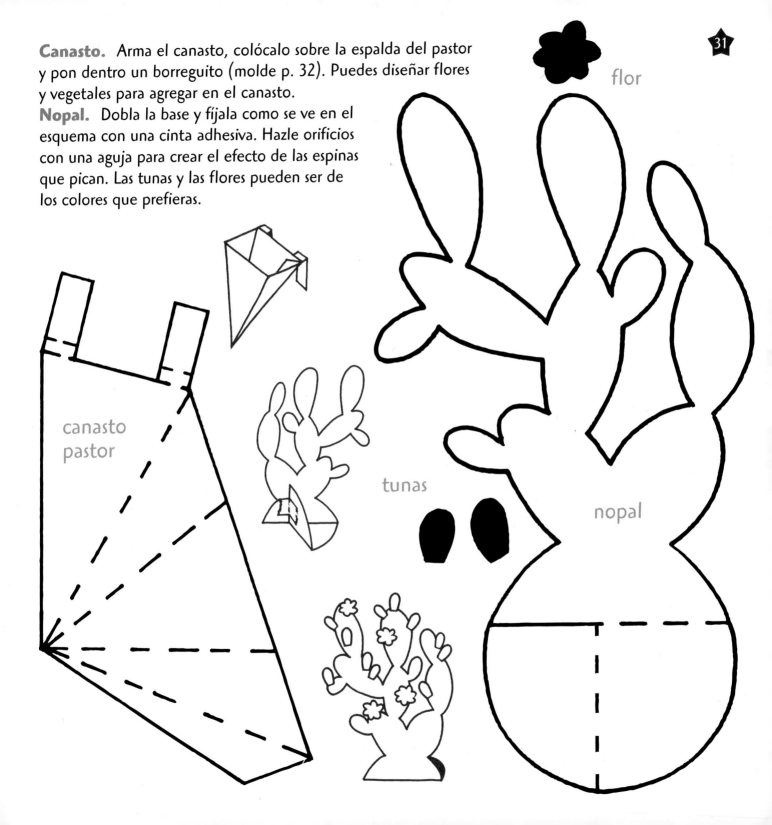

Canasto. Arma el canasto, colócalo sobre la espalda del pastor y pon dentro un borreguito (molde p. 32). Puedes diseñar flores y vegetales para agregar en el canasto.

Nopal. Dobla la base y fíjala como se ve en el esquema con una cinta adhesiva. Hazle orificios con una aguja para crear el efecto de las espinas que pican. Las tunas y las flores pueden ser de los colores que prefieras.

flor

canasto
pastor

tunas

nopal

32

Borregos. Sigue las instrucciones generales (p. 7) para copiar y recortar los moldes. Haz los borregos en cartoncillo grueso para que sean firmes. Pega las cabezas a los cuerpos poniendo en medio un pedacito de hule espuma y se verán un poco separadas. Usa bases como la del caballo (p. 22) para sostenerlos. Puedes pegarles algodón.

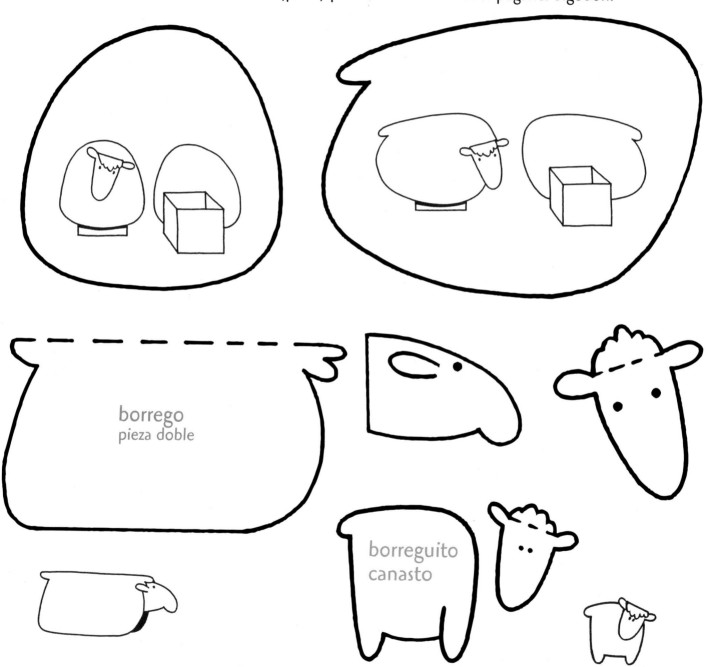

borrego
pieza doble

borreguito
canasto

Maguey. Haz dos piezas de distintos tonos de verde y acomódalas como se ve en la fotografía (p. 19).

Tucán. Ensártalo en las plantas por la abertura de la cola emplumada. Aunque el tucán no vive en zonas desérticas propias de los cactus, sino en las selvas tropicales, en los nacimientos se acostumbra poner todo tipo de animales. Puedes hacer otros e incluirlos.

Piñata. Sigue las instrucciones generales (p. 7) para copiar y recortar los moldes. Haz 6 picos de diferentes colores y ármalos como la pieza blanca de la fotografía (p. 35). Después únelos por las pestañas: 4 en línea y se cierra la línea con uno arriba y otro abajo. Cose los listones en los vértices con hilo.

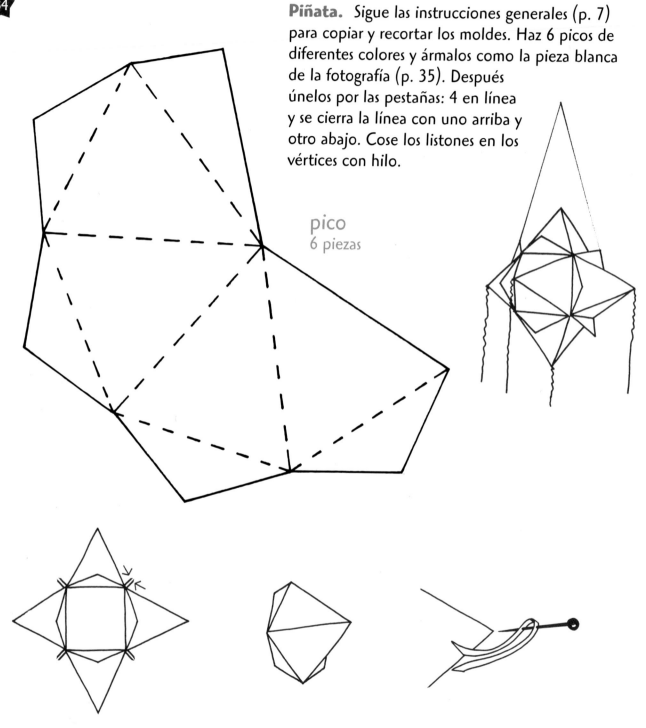

pico
6 piezas

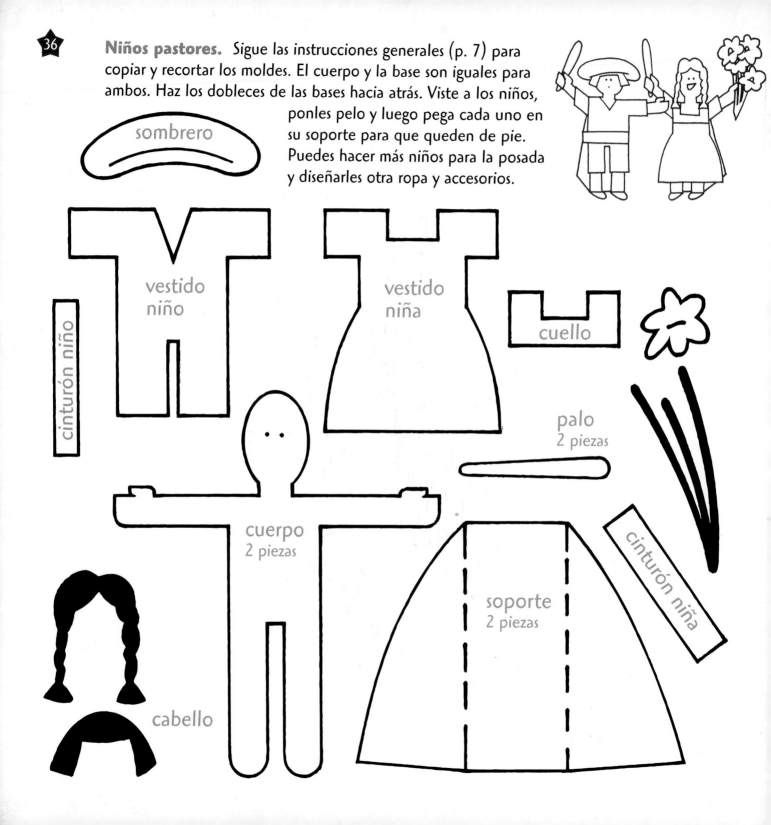

Niños pastores. Sigue las instrucciones generales (p. 7) para copiar y recortar los moldes. El cuerpo y la base son iguales para ambos. Haz los dobleces de las bases hacia atrás. Viste a los niños, ponles pelo y luego pega cada uno en su soporte para que queden de pie. Puedes hacer más niños para la posada y diseñarles otra ropa y accesorios.

sombrero

vestido niño

vestido niña

cuello

cinturón niño

palo
2 piezas

cuerpo
2 piezas

cinturón niña

soporte
2 piezas

cabello

Canastitas para colación. Sigue las instrucciones generales (p. 7) para copiar y recortar los moldes. Observa la fotografía de la página anterior.

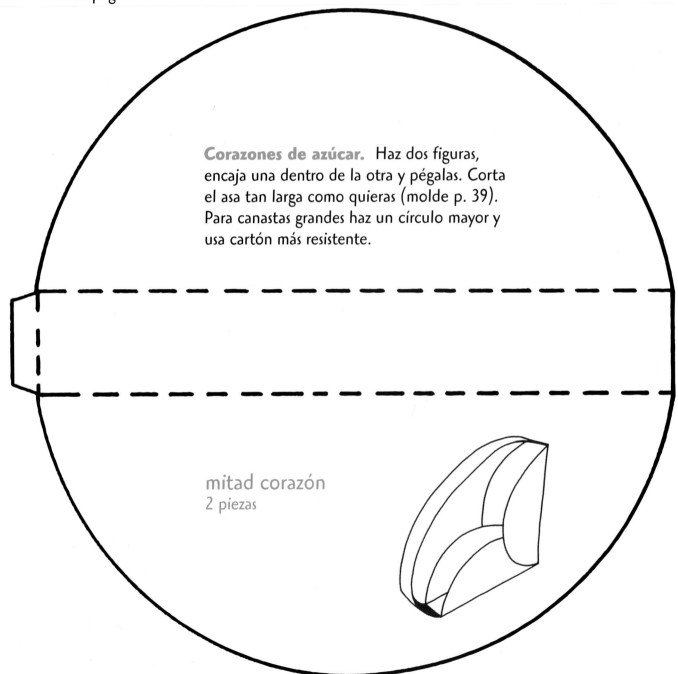

Corazones de azúcar. Haz dos figuras, encaja una dentro de la otra y pégalas. Corta el asa tan larga como quieras (molde p. 39). Para canastas grandes haz un círculo mayor y usa cartón más resistente.

mitad corazón
2 piezas

39

Caja de dulces. La figura se forma con dos medios cubos de base doble. Las asas deben ser tiras de cartoncillo grueso. Decora la parte exterior con otras figuras de este libro. Para una canasta más grande haz un cuadrado mayor y usa cartón más resistente.

cinta asa
segmento

caja
2 piezas

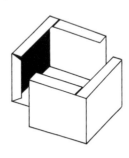

Santa Claus. Sigue las instrucciones generales (p. 7) para copiar y recortar los moldes. Pega la cara y el sombrero sobre la barba. Los zapatos se pegan en pinzas de madera para ropa pintadas de color negro; con ellas puede permanecer de pie. Puedes hacer varios de colores y colgarlos en el arbolito de Navidad.

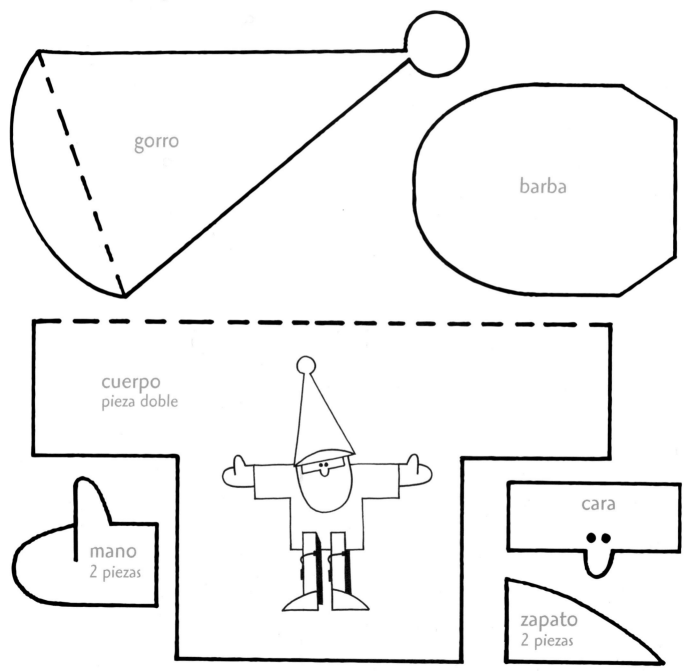

Pino para colgar. Sigue las instrucciones generales (p. 7) para copiar y recortar los moldes. Haz los 5 conos del tamaño y forma que indican los esquemas. Para enrollar el papel pásalo por la orilla de la mesa. Los conos se sobreponen y se pegan.

Estrella. Haz unos dobleces hacia afuera y otros hacia adentro. Pégale un palillo de madera para ensartarla en la punta del arbolito.

Esferas de confeti. Puedes usar tijeras o perforadora; aprovecha los recortes de papel.

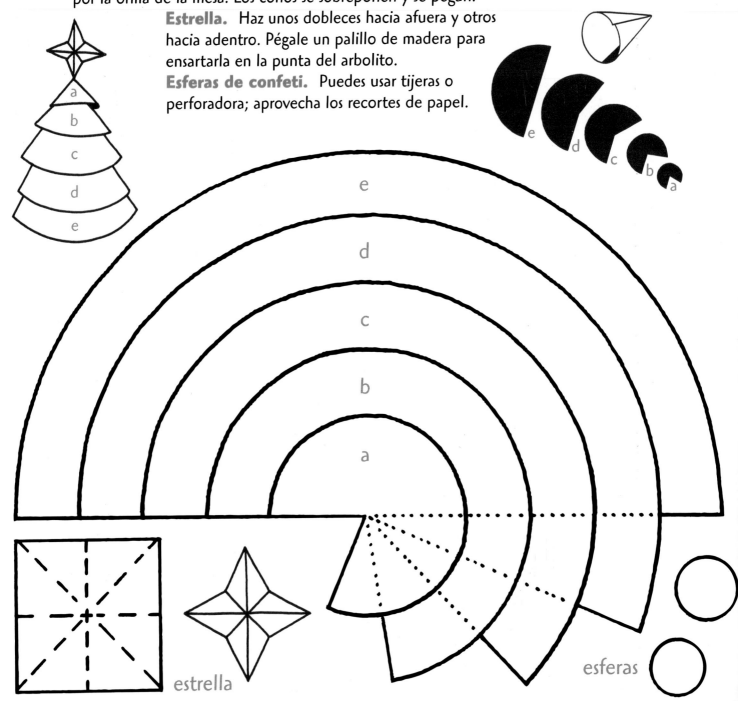

estrella

esferas

Duendes de gancho. La barba y cabello están en el mismo molde, pega ahí las caras. Se pueden idear otras figuras para colgar, usando el mismo gancho en sombreros diferentes. Haz muchos duendes de diferentes colores.
Pájaros. Usa papel de dos colores, frente y vuelta. Dobla el ala hacia abajo, pégale por detrás el gancho para colgar.

cabello
y barba

gorro
gancho

gancho

Candelero con forma de corona. Sigue las instrucciones generales (p. 7) para copiar y recortar los moldes. Haz orificios con una perforadora. Dobla las pestañas hacia adentro. Engrapa los extremos para cerrar. Pega las pestañas a la base. Es mejor utilizar una linterna pequeña de pilas. Una veladora **nunca** debe de dejarse encendida. Y siempre es una buena idea tener un vaso con agua... ¡Por si acaso!

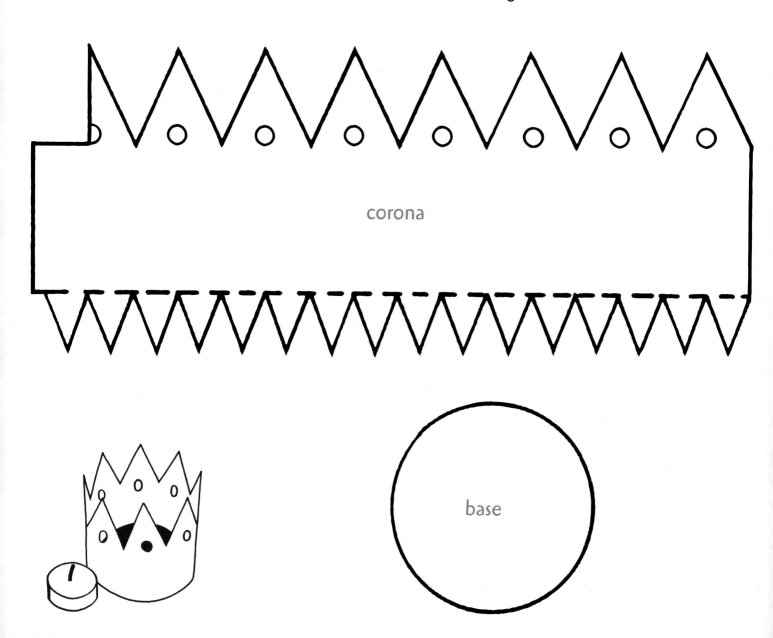

corona

base

Candelero con forma de pino. Sigue las instrucciones generales (p. 7) para copiar y recortar los moldes. Haz los orificios donde quieras con una perforadora. Para darle mayor resistencia haz una base cuadrada adicional con cartón metalizado y ponla dentro. Es mejor usar una linterna de baterías, pero si usas velas... ¡ten mucho cuidado! Puedes usar el mismo arbolito como canastita para colación, sólo agrega un listón para cerrarlo.

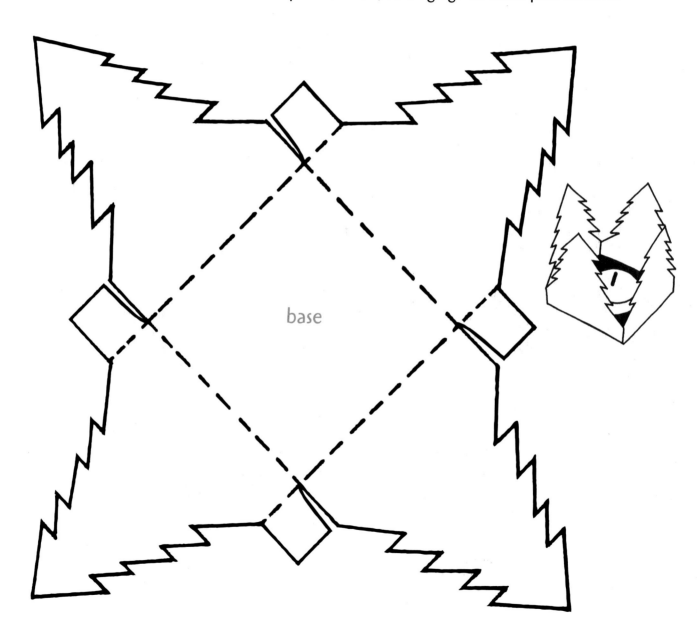

base

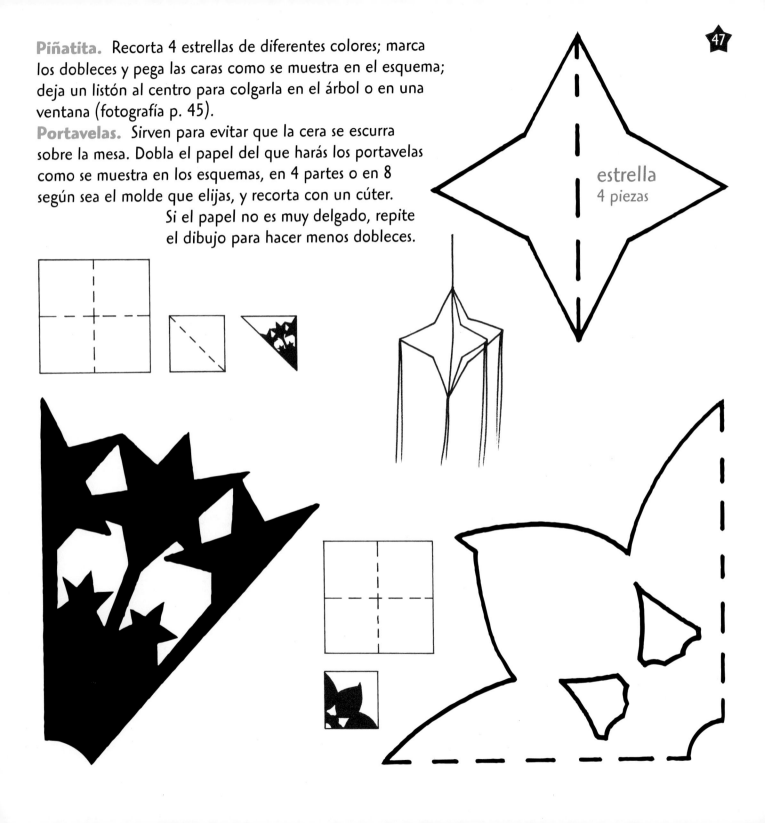

Piñatita. Recorta 4 estrellas de diferentes colores; marca los dobleces y pega las caras como se muestra en el esquema; deja un listón al centro para colgarla en el árbol o en una ventana (fotografía p. 45).

Portavelas. Sirven para evitar que la cera se escurra sobre la mesa. Dobla el papel del que harás los portavelas como se muestra en los esquemas, en 4 partes o en 8 según sea el molde que elijas, y recorta con un cúter.

Si el papel no es muy delgado, repite el dibujo para hacer menos dobleces.

estrella
4 piezas

48

Nochebuenas. Sigue las instrucciones generales (p. 7) para copiar y recortar los moldes. Haz 3 piezas de pétalos dobles y pégalos uno encima de otro por el centro; remata con un circulito verde o amarillo y decóralo con pequeñas "semillitas" de papel. Pega detrás de cada flor 2 ó 3 hojas verdes. Pégales atrás un palito de madera pintado de verde y ensártalas en una maceta con tierra. Puedes usarlas como adorno en los regalos.

Corona pequeña de nochebuenas. Haz la base de la corona con cartón grueso. Haz 6 flores de pétalos chicos, de la misma manera que las anteriores, y pégalas en la base como se ve en la fotografía de la siguiente página. Si deseas hacer una corona mayor, haz una base del tamaño adecuado para las flores grandes.

centros
de flor

pétalo

pétalo
3 piezas dobles

hoja
2 piezas dobles

hoja

base

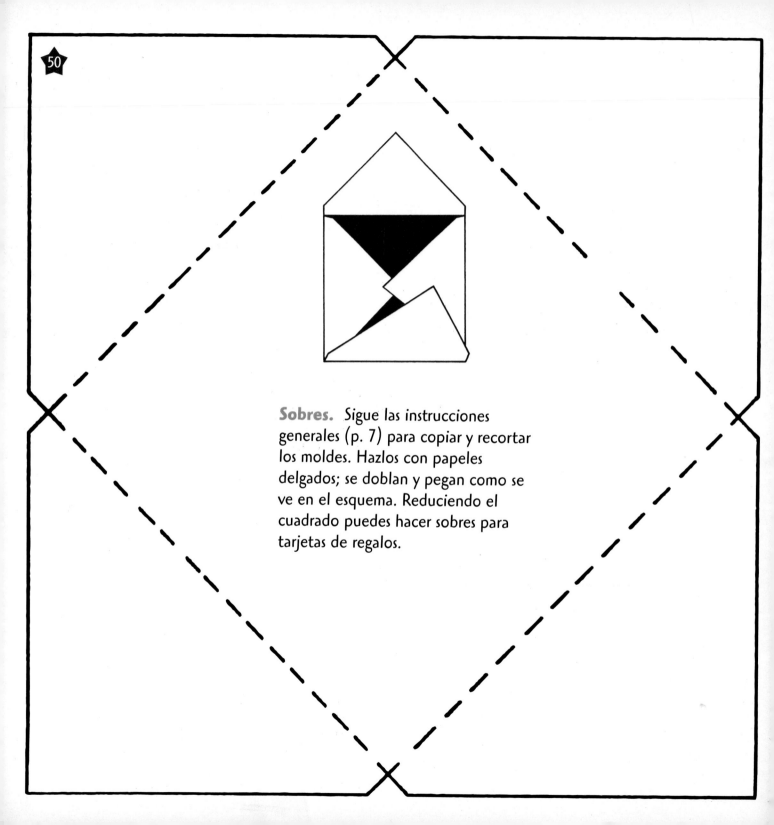

Sobres. Sigue las instrucciones generales (p. 7) para copiar y recortar los moldes. Hazlos con papeles delgados; se doblan y pegan como se ve en el esquema. Reduciendo el cuadrado puedes hacer sobres para tarjetas de regalos.

Tarjetas para felicitación y regalos. Sigue las instrucciones generales para copiar y recortar los moldes (p. 7). Haz las tarjetas de cartulina gruesa, sencillas o dobles (como cuaderno). En estas páginas encontrarás muchas figuras para decorar las tarjetas. Usa tu imaginación para combinarlas, o crea tus propios diseños y emplea otros materiales, como pedazos de tela, estambres, cuerdas, etc.

etiqueta

pinos

cara de duende

flama

vela

nopal

tuna

tarjeta

Tarjetitas para los regalos. Haz las tarjetitas para regalo en cartulinas gruesas para que sean resistentes. Con una perforadora haz el orificio redondo para el listón y con un cúter el saque en forma de triángulo.

Recuerda escribir en cada tarjetita:
Para: _____
De: _____

53

tarjeta regalo 1

tarjeta regalo 2

Adornos para tarjetas. Sigue las instrucciones generales (p. 7) para copiar y recortar los moldes. Observa en la fotografía (p. 51) cómo se pueden aplicar los distintos elementos en tarjetas, en el papel para envolver o como adornos para las puertas.

Guirnalda de corazones. Cada eslabón se corta doble, de preferencia en papel de china para hacer varios al mismo tiempo. Los corazones se atoran y se pegan tal como se muestra; sirven para decorar la mesa, las ventanas o los barandales.

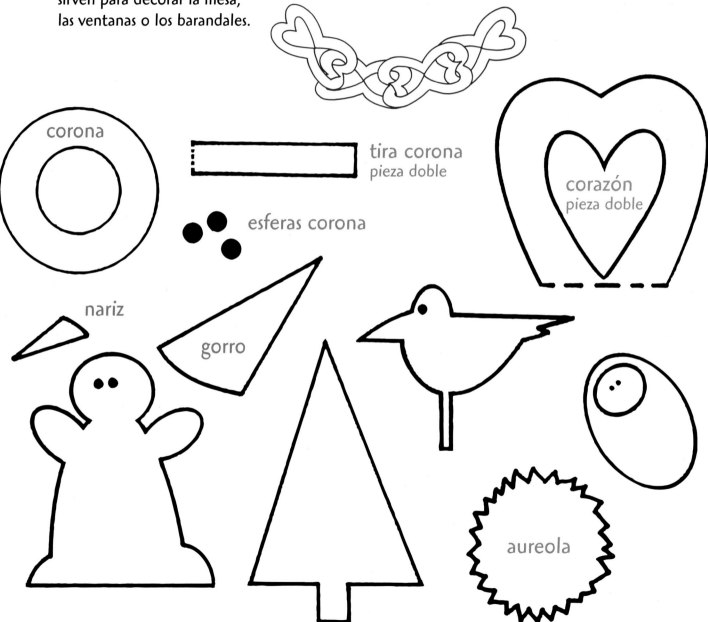

corona

tira corona
pieza doble

esferas corona

corazón
pieza doble

nariz

gorro

aureola

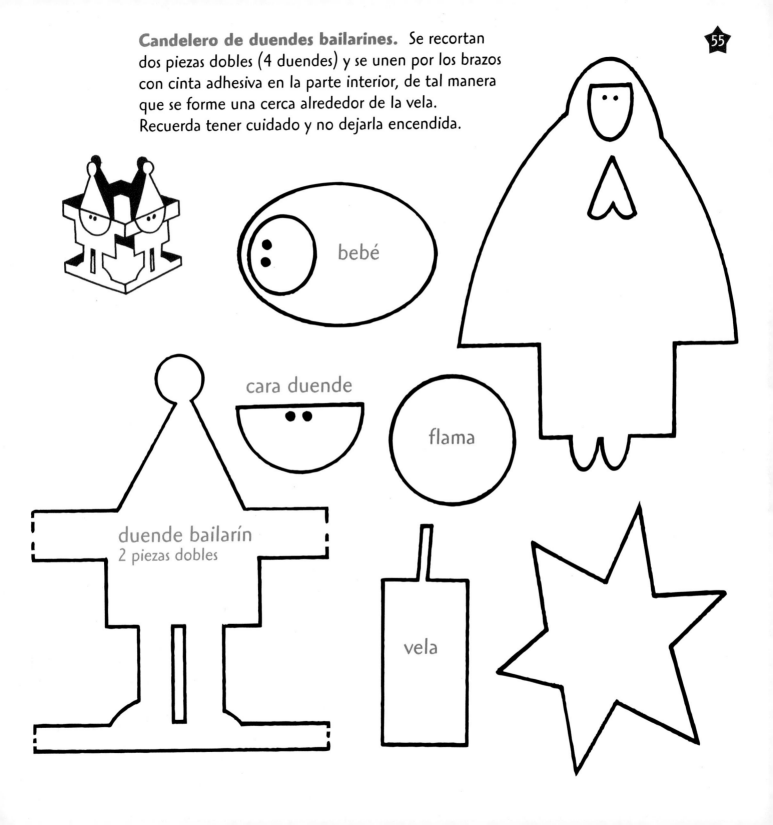

Candelero de duendes bailarines. Se recortan dos piezas dobles (4 duendes) y se unen por los brazos con cinta adhesiva en la parte interior, de tal manera que se forme una cerca alrededor de la vela. Recuerda tener cuidado y no dejarla encendida.

bebé

cara duende

flama

duende bailarín
2 piezas dobles

vela

Corona de rey mago 1. Sigue las instrucciones generales (p. 7) para copiar y recortar los moldes; en este caso te sugerimos hacer los moldes dobles para que no se marque el papel con el doblez. Usa cartulina metalizada gruesa para la corona y papel terciopelo para la toca guinda. Mide tu cabeza para hacer la cinta de cartulina metalizada (molde p. 58).

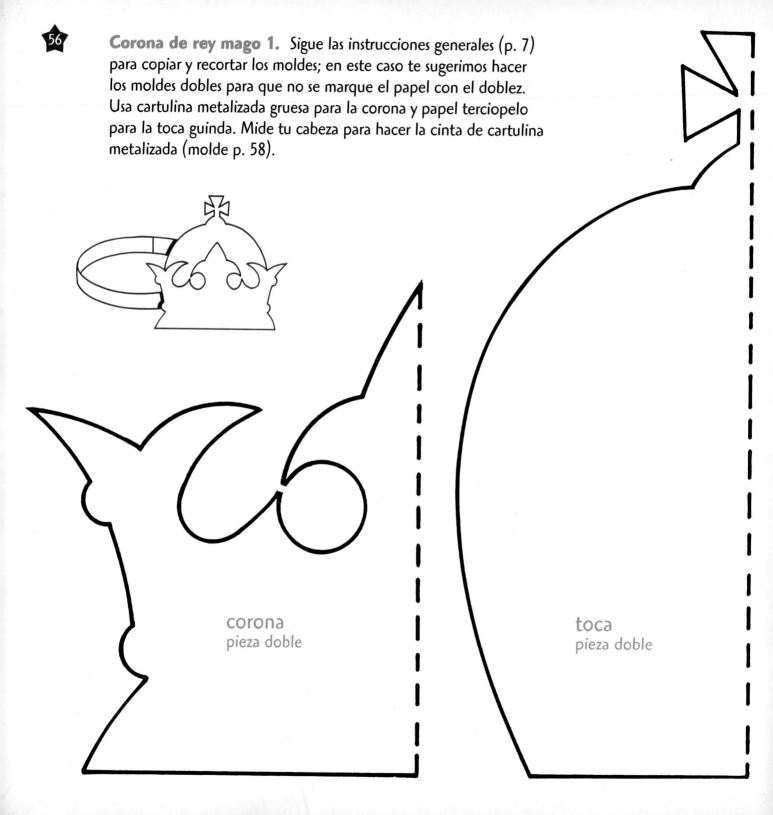

corona
pieza doble

toca
pieza doble

Corona de rey mago 2. Sigue las instrucciones generales (p. 7) para copiar y recortar los moldes. Haz esta corona de la misma manera que la corona anterior (p. 56). Pega los "diamantes" a la corona añadiendo un pedacito de cartón corrugado en medio para que queden separados; puedes decorarla con piedritas de vidrio de colores, dulces o lentejuelas.

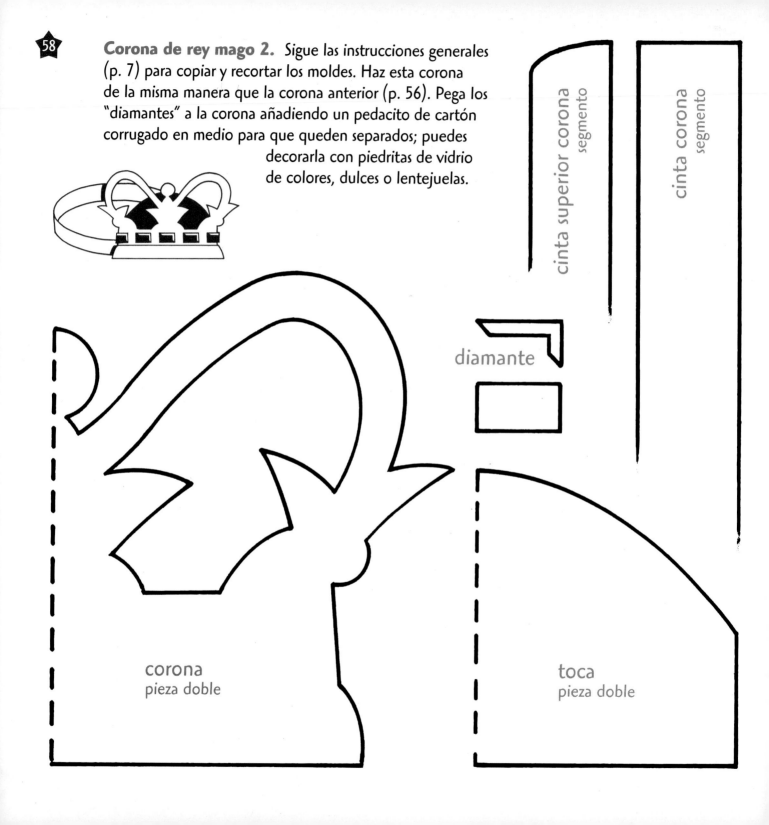

cinta superior corona
segmento

cinta corona
segmento

diamante

corona
pieza doble

toca
pieza doble

Corona de rey mago 3. En este caso te sugerimos medir tu cabeza para hacer el molde de ese largo y no doblar el papel. Haz la cinta de cartón corrugado. Pégale "piedras preciosas" de vidrio de colores, o lo que tú prefieras para decorarla.

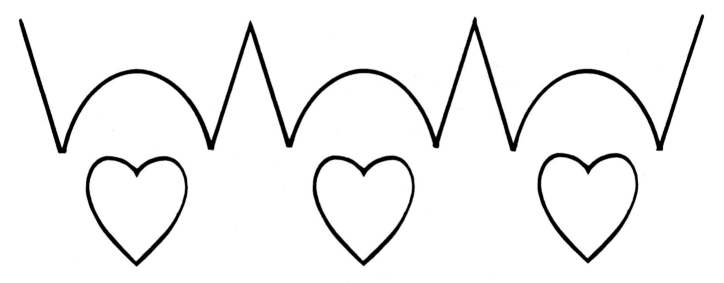

corona
segmento

cinta corona
segmento

cejas
2 piezas

manto
pieza doble

chapas
2 piezas

cara
pieza doble

Máscara del Arcángel Gabriel (para pastorela). Sigue las instrucciones generales (p. 7) para copiar y recortar los moldes. Haz orificios en la cara para los ojos, para la nariz y para pasar la liga con la que se detiene a la cabeza. Decora el manto con corazones y estrellas o con otras aplicaciones de tu diseño. Haz la aureola de cartón metalizado usando un plato como guía, y la boca de confeti.

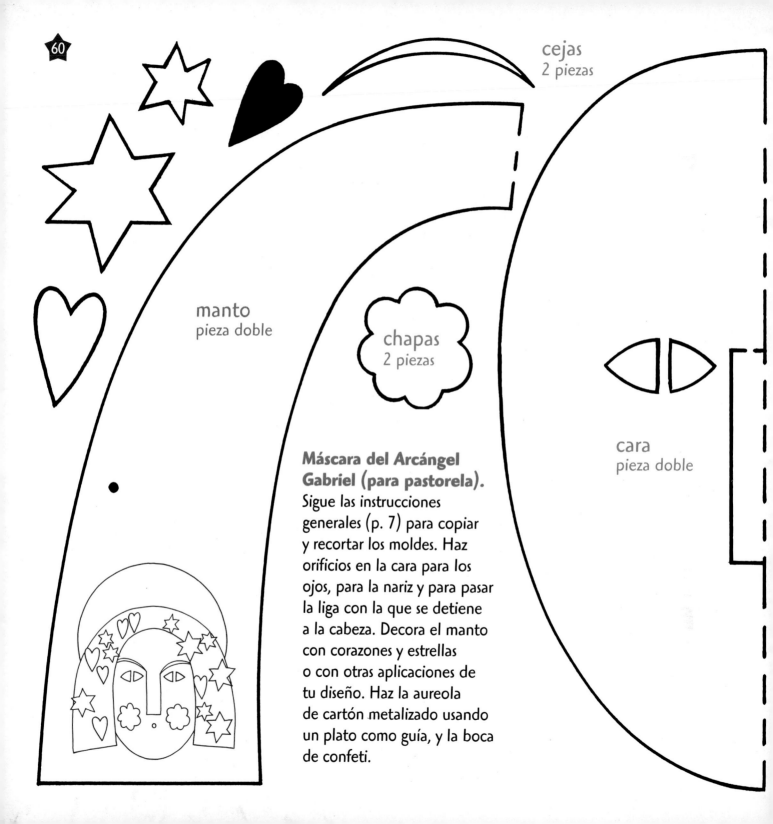

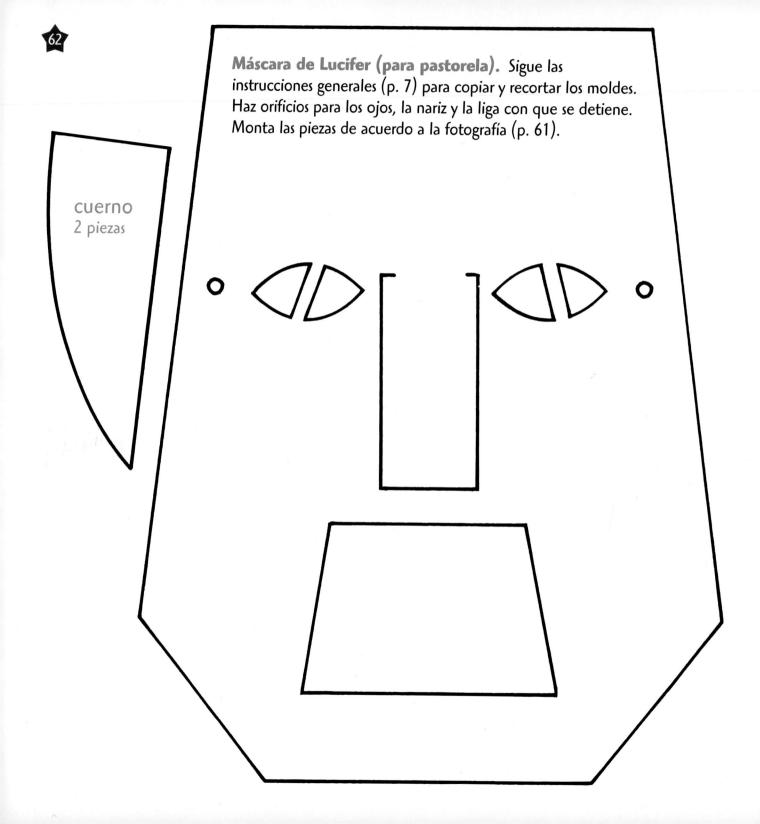

Máscara de Lucifer (para pastorela). Sigue las instrucciones generales (p. 7) para copiar y recortar los moldes. Haz orificios para los ojos, la nariz y la liga con que se detiene. Monta las piezas de acuerdo a la fotografía (p. 61).

cuerno
2 piezas

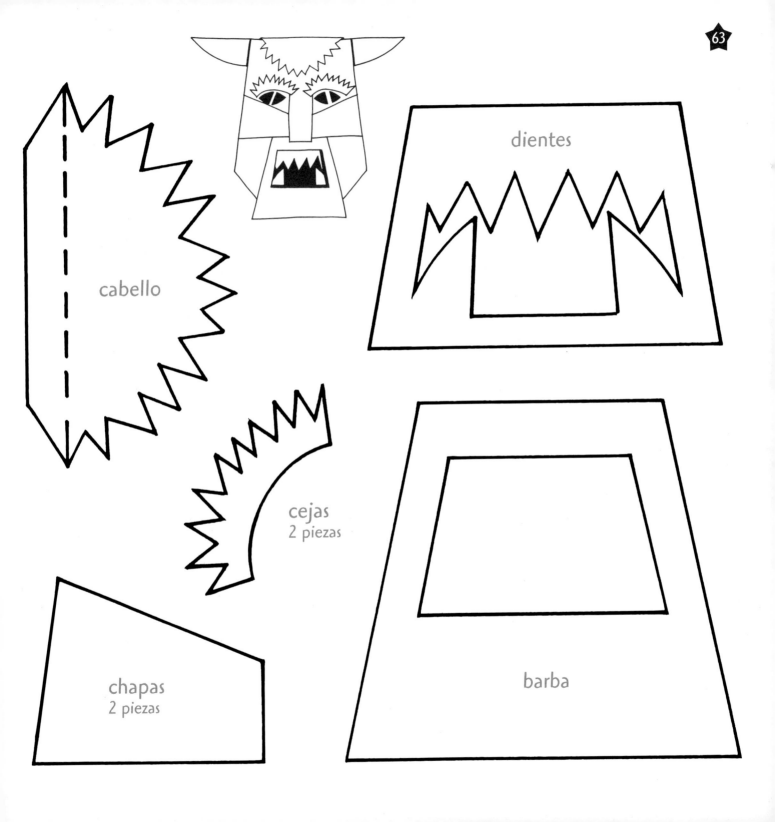

cabello

dientes

cejas
2 piezas

chapas
2 piezas

barba

Duendes para servilletas. Sigue las instrucciones generales (p. 7) para copiar y recortar los moldes. Haz anillos de cartoncillo para meter las servilletas enrolladas; puedes usar rollos de papel higiénico. Pega el duende sentado en el anillo. En la mano del duende pega una tarjeta con el nombre del comensal.

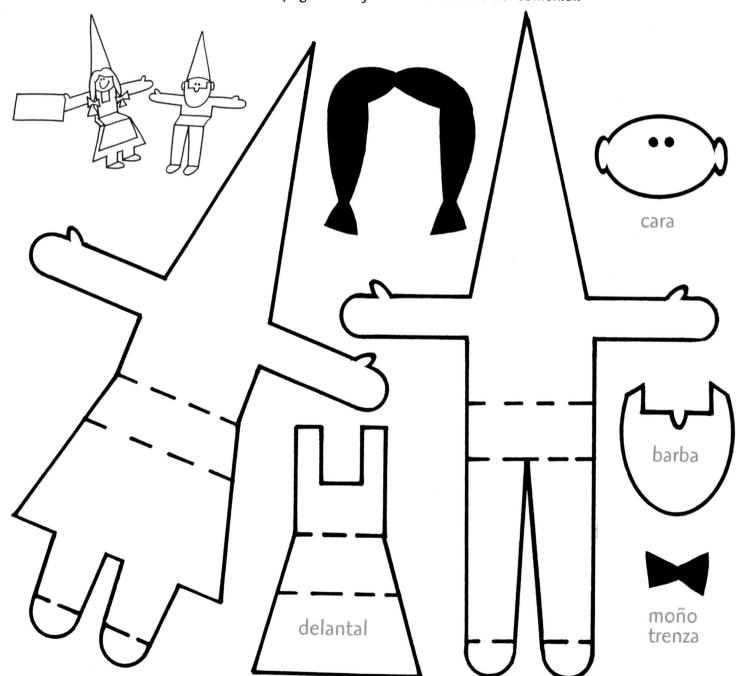

cara

barba

delantal

moño
trenza

Arbolitos para mesa. Haz con un cúter y regla los cortes para ensartar las piezas como se ve en los esquemas. Puedes colocar una cinta sobre el arbolito con el nombre del comensal, o dejarlo como decoración de mesa.

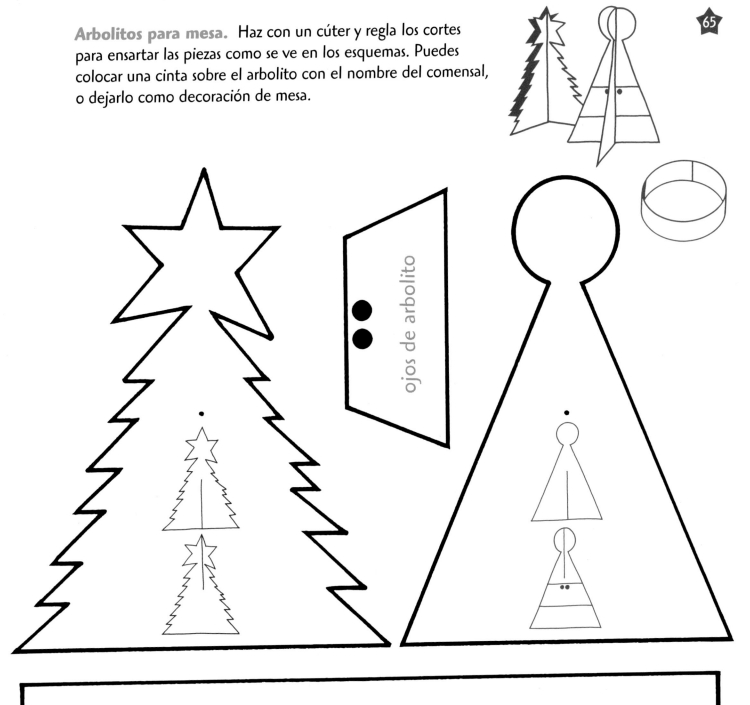

ojos de arbolito

tira para nombre

Pájaros portanombres. Sigue las instrucciones generales (p. 7) para copiar y recortar los moldes. Haz la figura doble en cartoncillo grueso, desdóblala y ensarta la tarjetita en una abertura como se muestra.
Ángel para servilleta. Corta las alas dobles, la tira envuelve la servilleta y pégala por detrás con cinta adhesiva. La cabeza, cabello y aureola se unen y se pegan en una palito de madera para insertarlos en la servilleta.

cara
ángel

pájaros
pieza doble

cabello
ángel

ala ángel
2 piezas

tarjeta nombre

aureola
ángel

PEDRO

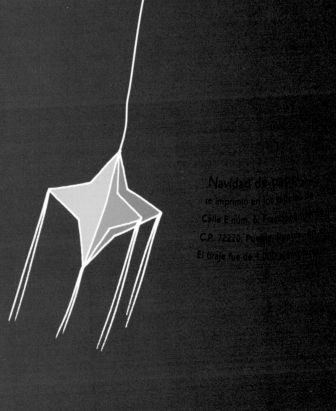

Navidad de papel
se imprimió en los talleres
Calle E núm. 6, Fraccionamiento
C.P. 72220, Puebla, Puebla
El tiraje fue de 1 000 ejemplares